ABBAYE
DE
SENANQUE

Editions GAUD

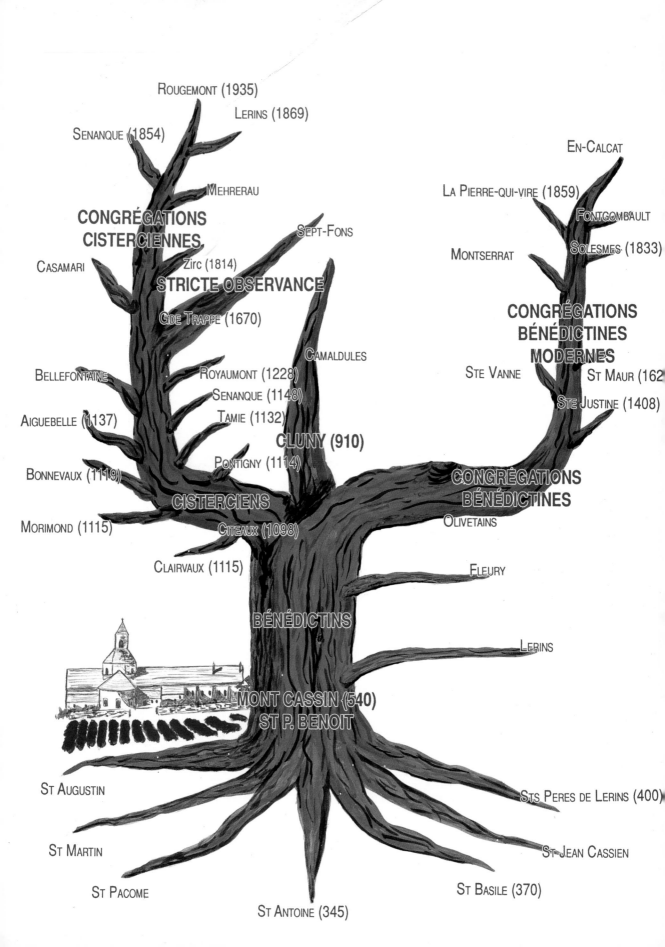

Page de gauche : Arbre généalogique de l'Ordre Monastique

L'abbaye vue de l'Est

UNE BREVE HISTOIRE DU MONACHISME

Dès la fin du IIIe siècle, la chrétienté orientale commence à comporter en son sein les «moines», c'est à dire des hommes qui se séparent de la société pour se retirer dans des lieux plus ou moins déserts, afin de se livrer à Dieu dans une vie d'ascèse, de prière, de travail et de solitude.

Le Père incontesté de ce genre de vie est l'égyptien Saint Antoine le Grand ; né en 251, il mène une vie de solitude dans le désert d'Egypte jusqu'à l'âge de 105 ans. Sa vie, écrite par Saint Athanase, aura une influence énorme sur le monachisme chrétien, tant en Orient qu'en Occident.

Saint Pakôme, égyptien lui aussi, sera le Père du monachisme communautaire (cénobitique). Il organisera les moines voulant vivre en communauté selon une règle bien précise qui aura des influences, elle aussi, en Orient et en Occident.

Dès le IVe siècle, on trouve des moines dans tout le Moyen-Orient, Egypte, Palestine, Syrie, Asie Mineure, Mésopotamie et assez rapidement, notamment à cause des exils de Saint Athanase, cette nouvelle forme de vie chrétienne se répandra en Occident, notamment en Gaule et tout d'abord en Provence. Nous trouvons là les premiers

foyers de vie monastique avec Saint Cassien à Marseille, Saint Honorat aux Iles de Lérins, pendant que Saint Martin et ses successeurs développent eux aussi une vie de solitude et de rayonnement évangéliques dans l'ouest de la Gaule.

Le rayonnement du monachisme occidental ne sera pas éteint par les invasions barbares et les monastères provençaux essèmeront ou bien étendront leur influence par leurs règles qui seront adoptées dans le sud-est et par les nombreux évêques qui seront choisis parmi les moines.

Simultanément ce monachisme se développe aussi en Italie et c'est là que s'impose la figure de Saint Benoît, d'abord ermite puis moine et abbé de Subiaco puis du Mont Cassin; il sera le législateur du monachisme occidental à partir du VIe siècle grâce à la règle monastique qu'il écrira pour son monastère et qui s'imposera peu à peu à toute l'Eglise latine. Le monachisme «bénédictin» était né. Il s'étendra de plus en plus, atteignant son apogée et une quasi exclusivité au Xe siècle notamment avec l'abbaye de Cluny (910).

A la fin du XIᵉ siècle dans le mouvement de la réforme grégorienne, en 1098, des moines bénédictins voulant revenir aux sources de leur propre tradition, quittèrent leur monastère de Molesme, avec leur Père Abbé, Saint Robert, pour fonder l'Abbaye de Citeaux, près de Dijon. Ce furent les Fondateurs d'un Ordre qui devait rapidement couvrir l'Europe de monastères. Saint Bernard entra à Citeaux en 1113 et fonda l'année suivante l'Abbaye de Clairvaux dont il fut l'Abbé jusqu'à sa mort en 1153.

Par une vie de prière, dans la pauvreté, la simplicité et la séparation du monde, les moines cisterciens entendaient retrouver la pureté de l'esprit de la Règle de Saint Benoît. C'est cet esprit qui présida à la fondation de l'Abbaye de Sénanque.

---oOo---

HISTOIRE DE SENANQUE

Le 9 Juillet 1148, Pierre de Mazan arrive dans le vallon de Sénanque, dans le but d'y fonder une abbaye cistercienne, avec une douzaine de moines, selon la coutume monastique.

Ils venaient de l'Abbaye de Mazan, située à 1100 mètres d'altitude entre les sources de la Loire et de l'Ardèche, dans le Vivarais. Cette Abbaye, qui était de fondation récente, à partir d'un noyau érémitique, s'était affiliée à l'Ordre de Citeaux en 1121 par la filiation de Bonnevaux, elle-même 7e fille de Citeaux, et fondée en 1119 près de Vienne, en Dauphiné.

C'est à l'instigation de l'évêque de Cavaillon, Alfant, que s'effectua la fondation de Sénanque, sous la généreuse protection des seigneurs de Simiane, suzerains de Gordes.

Si aucun document n'atteste une intervention directe de Saint Bernard dans cette affaire, on peut toutefois penser que la fondation, le site, et la construction du monastère subirent son influence : la Vallée de Sénanque représentait parfaitement l'emplacement rêvé par l'Abbé de Clairvaux : vallon boisé, solitaire, de la pierre à bâtir et de la chaux et même du minerai de fer; l'histoire nous apprend d'autre part que le seigneur de Simiane connaissait Saint Bernard pour l'avoir rencontré à Saint-Gilles-du-Gard lors d'un synode tenu là au passage du Pape Innocent II en 1133. Ce sont ces

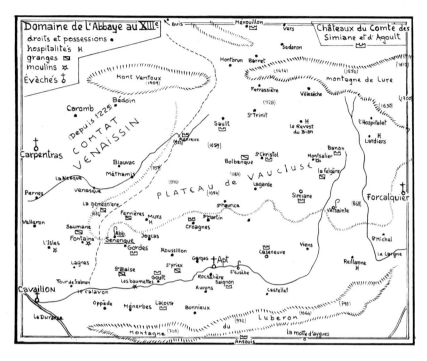

Carte : Les domaines de l'abbaye au XIIIe

mêmes nobles chevaliers, Guiraud et Bertrand qui se croiseront en 1146 sous la bannière d'Alphonse Ier Jourdain, alors Comte de Toulouse.

Les premiers cisterciens recherchaient des vallées étroites pour l'implantation de leurs monastères; c'était non seulement pour l'utilisation de l'eau courante nécessaire à l'hygiène et à l'irrigation, voire à la métallurgie, mais aussi à cause de sa portée symbolique. Les écrits de Saint Bernard rapportent un jeu de mot fréquent sous sa plume entre l'humidité et l'humilité : l'humilité, conformément à l'Evangile doit être la vertu maîtresse du moine : et c'est au fond des vallées disait-il, que se trouvent les terres les plus grasses, celles qui sont les plus favora-

bles à l'accroissement des vertus, en faisant allusion à la parabole évangélique des disciples qui doivent porter beaucoup de fruits.

Par ailleurs, le tempérament artiste de Saint Bernard n'était pas insensible au climat de recueillement que procure tout naturellement une vallée boisée et solitaire.

La dénomination même de Sénanque évoque le caractère du lieu : l'auteur de la première note historique et archéologique de Sénanque, l'abbé Moyne, rattache l'étymologie de Sénanque non au latin comme on serait tenté de le faire, par exemple «sine aqua» (sans eau) ou «sane aqua» (eau saine), mais à une origine celte, connue dans d'autres régions de France, «Sagn-anc», gorges marécageuses. Nous ne nous étonnerons pas d'un tel rapprochement si l'on sait que le

L'abbaye, façade nord de l'Eglise et Dortoir

Double page précédente :
L'abbaye et les lavandes

Page de droite : Le clocher

cours de la Sénancole avant 1909, date du tremblement de terre de Lambesc, avait un débit beaucoup plus abondant.

Le premier travail des moines a consisté à endiguer la rivière, à creuser un réservoir en contre-bas, juste devant le monastère, pour drainer le fond vaseux du vallon. Le bassin, devant l'entrée actuelle du magasin en est le reste, soit la moitié environ, de ce qui devait ensuite servir de vivier.

Certains historiens du XIX⁰ siècle et du XX⁰ siècle, compte tenu du caractère exceptionnel du site, ont pu émettre l'hypothèse d'une présence monastique pré-cistercienne à Sénanque, ou bien la possibilité de l'existence de vestiges d'anciens lieux de culte comme cela se trouvait fréquemment à l'époque ; cependant, aucune trace n'en a été trouvée à ce jour...

Pierre de Mazan devait être un abbé de haute valeur. Il établit matériellement et spirituellement les fondements de la nouvelle communauté cistercienne. Par le Chartier de l'Abbaye, actuellement aux Archives départementales d'Avignon, nous pouvons avoir des renseignements sur les relations extérieures qu'entretenait Sénanque, soit avec les nobles ou le clergé et les laïcs des environs, soit avec les autres abbayes cisterciennes de Provence. Mais ces Archives abondent surtout en titres de concessions et de propriétés, sources de revenus directs et indirects pour l'entretien et la vie du monastère.

En 1150, Guiraud et Bertrand d'Agoult-Simiane complètent leur donation première de 1148 : ils donnent la vallée de Sénanque «en son entier», dans ses plus larges limites, de telle sorte qu'ils achètent 300 sous de

terre de cette même vallée à Guillaume de Gordes, Bertrand Calvet et Guillaume du Barroux pour les céder aux moines; et ils ajoutent «tous les bois, terres et pâturages que les moines voudront ou pourront entretenir dans les montagnes voisines, tout ce qui est nécessaire à l'entretien de leurs juments, leurs troupeaux et autres bestiaux».

En 1173, Guiraud et son fils Rambaud ajoutent à leurs donations précédentes «la plaine de Sainte-Cécile, le territoire de la Sorguerie et divers droits».

En 1184, en présence de l'évêque de Cavaillon et de trente moines, l'année de la mort de l'Abbé fondateur, Rambaud d'Agoult, fils de Guiraud, donne à Sénanque la ferme de Saint Blaise. C'est le même Rambaud d'Agoult qui, quatre ans plus tard installera près de Simiane, sur ses terres de Bollinette, un nouveau monastère, Valsainte, qui sera peuplé à partir de l'Abbaye de Silvacane, sise sur la rive gauche de la Durance, près de la Roque d'Anthéron. C'est peut-être en raison de cette construction nouvelle que le chantier de Sénanque fut interrompu durant une bonne décennie. Valsainte demeurera une petite abbaye, sans grand rayonnement extérieur, et ne se relèvera pas des épreuves dues aux guerres de religion.

Il convient de noter que la maison d'Agoult-Simiane n'a pas été l'unique bienfaitrice de Sénanque. On trouve aussi des donations relativement équivalentes de la part des seigneurs de Vénasque, les Mévouillons ou autres, qui souvent, en compensation, demandaient à être inhumés dans l'église abbatiale.

Chapiteaux du cloître

En 1193, Guillaume des Baux cède à l'Abbaye de Sénanque ce qu'il possède dans les écluses et les salins de Berre, générosité appréciable quand on sait que le sel était nécessaire à la conservation des aliments carnés réservés aux gens du pays et sans doute aux ouvriers qui travaillaient aux constructions; une charte de 1225 fait encore allusion à cette main-d'œuvre.

Toutes ces donations très diverses continueront d'affluer pendant plus d'un siècle tant et si bien que le monastère aura des biens éparpillés dans toute la région sud du Dauphiné, au plateau d'Albion, du cœur du Lubéron jusqu'à Arles et Marseille. On comprend qu'il devint difficile aux religieux d'assumer par eux-mêmes tous ces biens; c'est pourquoi ils seront parfois affermés. Ainsi, en 1277, «les moines de Sénanque louent pour quatre ans à Jean de Nazare les possessions éloignées de Banon, Saint Michel, Reillane..., pour une rente annuelle de 12 livres coronat et un cochon gras»!

En 1271, une querelle éclate entre l'Abbé de Sénanque et des particuliers de

L'abbaye: vue nord

Page de droite :
Clocher et transept est. Toits de Lauzes

Venasque et de Saint-Christol, «les troupeaux du monastère allant paître sur les montagnes communes aux uns et aux autres», cet usage ayant été concédé auparavant, par les propriétaires concernés...Tous se termina bien d'après la conclusion de la Charte !

La fin du XIIIe siècle marque l'apogée de l'expansion territoriale du monastère. Le développement de Sénanque n'est bien sûr pas un cas unique à cette époque, mais répond mal au propos primitif de l'Ordre de Cîteaux, et s'éloigne de l'austérité. Le patrimoine de l'Abbaye s'étendait un peu partout en Provence. Outre des terres variées,

bois et pâturages, Sénanque possédait aussi des maisons à l'Isle ou Bonnieux par exemple, et même le château de Montsalier. Elle entretenait quatre ou cinq hospices, le premier et le plus vaste au cœur de la ville d'Arles, le plus chétif sans doute, celui du Revêt d'Albion.

Elle avait l'usage de quatre moulins à eau dont le plus curieux est celui de Batadous, à l'Isle qu'on utilisait peut-être déjà pour confectionner du papier, selon l'archiviste de l'Abbaye au XVIIe siècle. Enfin elle détenait 6 ou 7 granges, à Ferrières, la Genestière, la Felgière, Saint-Blaise, Saint-Christol et Maussanne, la plus célèbre, puisqu'il est question d'elle au cartulaire en 1335 : le Pape

Benoît XII d'Avignon, «concède un droit de vente directe sur le marché pour tous ses fruits, son blé, son vin».

Il semble que le XIVe siècle à Sénanque fut son «grand siècle». N'est-il pas aussi, et ce n'est sans doute pas sans rapport, celui du rayonnement de la Papauté d'Avignon qui rejaillit sur toute la région, ce qui amènera en contre-partie des ingérences politiques parfois violentes.

Toujours est-il que Sénanque fut gouverné par une suite d'abbés de grande qualité. C'est Bernard Clément puis son frère Pierre V qui pendant un demi-siècle la dirigeront avec sagesse; le premier, après un siècle de donations met de l'ordre pour en reconnaître le bien fondé : il renouvelle les baux, règle les conflits plus ou moins latents et enfin procède à un bornage des terres de la Vallée de Sénanque. C'est à lui sans doute ou à son frère que l'on doit la disposition nouvelle de la salle du Chapitre avec ses voûtes d'ogives, de même aussi la surélévation de l'escalier du dortoir qui s'ouvre maintenant à double volée.

A leur suite vient l'abbé Bertrand II, trop rapidement remarqué par le Pape Innocent VI qui le déplace pour le mettre à la tête de la grande abbaye de Bolbonne près de Toulouse. C'est Bernard, Abbé de Franquevaux, près de Nîmes, qui lui succède; c'est lui qui fut chargé par Urbain V de régler la question de la succession des Templiers au diocèse de Cavaillon avec Philippe Cabassole qui en était l'évêque. Ce dernier, très savant, fut chargé d'importantes missions pendant le pontificat du plus Saint des papes français. Il habitait à Vaucluse dont il était seigneur ; c'est là que demeurait Pétrarque son grand ami. A ce sujet, il n'est pas inconvenant de penser que le «Traité de la vie solitaire» que ce dernier lui dédia, ait pris naissance à la suite d'un passage du poète romain dans le vallon silencieux d'où s'élève la prière des cisterciens.

Bernard III ayant été nommé en 1368 abbé de Grandselve, c'est le noble provençal Ricou de Rambaud qui lui succède à la tête de l'Abbaye jusqu'en 1391.

Au plan civil, ce fut une époque de troubles provenant de gens armés à l'étranger : Du Guesclin puis Raymond de Turenne. Comme la population paysanne, les moines de Sénanque durent connaître les contre-coups de toutes ces exactions durant des décennies.

Au début du XVe siècle, c'est l'abbé Jean I qui assure une ferme stabilité, son mandat de 49 ans est le plus long de toute l'histoire de l'Abbaye.

Malheureusement, après lui en 1441, adviendront bien des difficultés : on parle d'une diminution de la ferveur religieuse dans la plupart des communautés de ce temps, et Sénanque n'y échappe pas.

Après 1450 il n'y a plus d'abbé et c'est Jean de Ferrière, abbé de Mazan, qui sera l'administrateur du monastère pendant près de 16 ans.

De ces pénibles années, entre bien d'autres documents, il nous reste la lettre du «bon Roi René», de 1470, en réponse aux suppliques des moines de Sénanque lésés dans leurs droits : «Voulant traiter avec une ferveur particulière pour l'honneur de Celui auquel ils se sont consacrés, nous avons jugé à propos, de science certaine avec l'avis de notre conseil, de prendre et retenir l'abbé et ses moines, leur couvent et tous ses membres, avec tous ses biens, possessions et terres quelconques, leurs serviteurs et leurs

Galerie nord du cloître

domestiques, sous notre protection et sauvegarde spéciale, sans toutefois entendre léser les droits de la justice, mais pour prévenir les voies de fait».

En 1471, l'Abbaye a pour la première fois un abbé coopté par le Pape ou plutôt par le cardinal légat d'Avignon, qui connaissait la situation délicate du monastère depuis quelques années. Selon l'abbé Moyne, Jean Cassaletti, jeune docteur de l'université d'Avignon, avait pris l'habit cistercien à Franquevaux avant de venir faire ses études de droit. Ce qui est sûr c'est que sa famille était du Comtat. A peine arrivé, il prêcha l'exemple devant tous, il réorganisa spirituellement l'Abbaye et défendit ses droits avec prudence et fermeté, en face surtout du Baron de Cazeneuve, suzerain de Gordes, qui procurait beaucoup de tracasseries aux moines. La renommée du nouvel abbé attira auprès de lui des jeunes moines fervents, si bien que les anciens moines furent obligés de se plier à ce changement de vie. Il remit en ordre les titres de propriété du monastère, fit réparer certaines parties des bâtiments, et fit divers aménagements. Peut-être certains autels de l'église abbatiale datent-ils de cette époque ? Il fut en plus appelé à remplir la charge de Recteur du Comtat, mais la résilia au bout de quelques mois. Il siégea aux Etats Généraux réunis à Aix par Louis XII en 1487 et fut un ardent partisan de la réunion de la Provence à la couronne et visa à remplacer les formes administratives anciennes du pays par les institutions françaises. Il fonda en Avignon un collège cistercien près de l'église Saint Agricol afin d'y envoyer les jeunes moines pour leurs études.

C'est le 31e abbé qui fut véritablement à Sénanque le premier abbé de «commende».

On appelle «commende» la provision d'un bénéfice régulier accordé à un séculier, prêtre ou laïc, avec dispense de vie régulière. Le concordat de Léon X et de François 1er a généralisé cette discipline qui était auparavant plutôt exceptionnelle. Si l'institution commendataire fut néfaste en général, ce ne fut pas le cas à Sénanque puisque grâce à elle la vie monastique pu se poursuivre en dépit de la pénurie de vocations qui s'aggrava les deux derniers siècles avant la Révolution Française.

De 1509 à 1529 ce fut le Recteur du Comtat Venaissin, qui était aussi évêque de Rodez, qui fut abbé de Sénanque : François d'Estaing, homme d'une grande piété et de grande envergure. Louis XII en avait fait son ambassadeur auprès du Saint Siège, et malgré les luttes larvées qui existaient entre la France et les Etats Pontificaux, il fut un insatiable conciliateur. Il avait su gagner la confiance de part et d'autre, et tous le considéraient comme un saint. Sa bonté qu'il manifesta à Carpentras lorsque sévissait la peste lui valu le surnom de «Père des pauvres» : déjà de son vivant il avait la réputation de thaumaturge. Son procès de béatification fut ouvert mais n'aboutit jamais.

A partir de 1533 l'Abbaye eut à sa tête Pierre de Forli qui aimait résider à Sénanque. Devenu évêque d'Apt en 1541, il connut alors bien des malheurs dans son diocèse : ce fut l'époque où les paysans vaudois (chrétiens vivant en marge des institutions de l'Eglise romaine depuis le XIIe siècle à la suite de Pierre Valdès de Lyon) qui habitaient le Lubéron se rebellèrent sous l'influence des Protestants contre les arrêts du Parlement d'Aix qui leur interdisaient d'exercer leur culte publiquement.

L'Inquisition maladroite et brutale mit le feu aux poudres et ce fut l'escalade de la violence. Triste prélude aux guerres de religion qui se répandront en Europe. En 1544, au printemps, 800 d'entre eux, sous la conduite d'un ancien curé, prirent d'assaut l'Abbaye. Ils saccagèrent tous les lieux où ils purent s'introduire, incendièrent puis démolirent la partie méridionale, le bâtiment des convers, les cuisines et la fontaine du cloître. Ils pillèrent les provisions des celliers, la bibliothèque et brûlèrent les registres de titres de propriété. Ils maltraitèrent tous les moines qu'ils purent prendre et 12 d'entre eux furent traînés dans les villages voisins, 2 même, dit-on, furent pendus. Pierre de Forli fit dresser un inventaire du désastre et commença les réparations indispensables. Le Cartulaire de Sénanque est vide pendant 40 ans.

Vue depuis le préau du cloître

Elzéar de Rastelli fut le 4e abbé commendataire vers 1560. Il était évêque de Riez mais originaire de Cavaillon; il s'occupa de protéger les biens de son abbaye et favorisa le retour d'une vie monastique normale à Sénanque.

André du Laurens, un proche de Henri IV, appela la faveur royale sur ses deux frères restés en Provence. C'est ainsi que Gaspard, à 38 ans, devint en 1600 abbé de Sénanque, puis peu après, également abbé des Bénédictins de Saint André de Vienne. Il s'efforça, dit-on, de suivre le conseil de sa mère : «Il ne faut pas prendre des charges pour vivre délicieusement, mais pour suivre diligemment les intentions des fondateurs». A Sénanque, la modicité des revenus depuis la dévastation vaudoise ne lui permit pas de former une nombreuse communauté. Cependant il y rétablit la vie monastique telle que les Constitutions de l'Ordre de Citeaux l'exigeaient alors. En 1603 il fut nommé archevêque d'Arles et fut convoqué aux Etats Généraux à Paris en 1606. Il fut un pasteur zélé et suscita dans son diocèse de nombreuses réformes, surtout dans les maisons religieuses. Avec sa douce autorité il imposa progressivement et partout l'observation des règlements du Concile de Trente. Il mourut dans la pauvreté, aimé de tous.

Guillaume d'Ancézune, Toussaint Rose et Armand de Béthune furent les abbés nommés par Louis XIV. Ils ont en commun de n'être point méridionaux et aussi d'avoir œuvré à ce que les droits de leurs moines soient mieux respectés. Le premier, qui était chanoine, restait en relation avec l'économe du monastère et sut intervenir quand il le fallait. Le second suivit également les affaires de l'Abbaye mais de plus loin. Le troisième était membre d'une illustre famille de militaires et de politiques au service du Roi. C'est lui qui entreprit la reconstruction de la partie méridionale de l'Abbaye à la manière du Grand Siècle. Ce grand travail fut poursuivi et achevé par Christophe Pajot son successeur, en 1712, mais laissa beaucoup de dettes. Quand Louis du Pin fut nommé Abbé de Sénanque en 1739, vu l'embarras financier, il confia l'administration du monastère à Dom Sambuc, l'économe, qui s'efforça de rétablir les affaires de la maison sur des bases saines.

Il restait alors à Sénanque trois moines de chœurs, dont deux vieillards, et trois ou quatre frères convers. La Provence ne bénéficia pas, hélas, du renouveau des vocations assez général en France à cette époque; Sénanque fut délaissé étrangement par le Chapitre de Citeaux, comme par le Roi, durant près de 20 ans.

Le 4 Novembre 1780, Dom du Solcier, dernier profès de Sénanque, enterra le dernier frère convers, Claude Michel, et lui-même mourut trois mois plus tard, le jour de la fête de la Présentation du Seigneur au Temple.

Ce fut Dom Dreux, Prieur du Thoronet, qui fut nommé administrateur de Sénanque par le Chapitre Général et qui reçu les patriotes, le 26 Mai 1790 venus faire l'inventaire des biens du monastère. Ce qui restait du domaine, déjà réduit depuis le XVIe siècle fut morcelé pour favoriser l'achat par des petits propriétaires des environs. La plus grosse part, avec les bâtiments monastiques, fut achetée par Alex de Léouze, ancien officier de Louis XVI, qui habitait Aix.

Malheureusement, avant qu'il s'établisse dans la partie méridionale du XVIIe siècle avec son fermier, la cupidité des gens à la recherche d'un éventuel trésor fit qu'on enleva les dalles du Chapitre, du Chauffoir et de l'Abbatiale jusqu'au transept, et sans doute aussi l'escalier de pierre qui descendait du dortoir dans l'église. M. de Léouze n'avait pas acheté Sénanque pour agrandir sa fortune, mais pour l'entretenir et même le restaurer. Un témoignage nous en est laissé par les voûtes d'arêtes du Chauffoir qui retombent sur le fameux chapiteau aux fleurs de lys renversées (cf. Royauté déchue).

Il léga l'Abbaye à l'une de ses filles qui, elle-même, la léga à sa nièce mariée à M. de Pluvinal, de l'Isle-sur-Sorgues. Celui-ci résista aux pressions mercantiles dont il était l'objet depuis ceux qui spéculaient sur les pierres de taille jusqu'aux industriels désireux de convertir l'Abbaye en usine! Son attente, nous allons le voir, ne fut pas déçue.

En effet, un acquéreur désargenté se présenta chez M. de Pluvinal : l'abbé Barnouin, de l'Isle, qui était à la tête d'une nouvelle et fervente communauté religieuse. Ancien vicaire à Lapalud, il avait rassemblé à la Cavalerie quelques ermites et cette communauté vivait des produits de la ferme. Ce groupe s'étant accru notablement, il découvrit que Sénanque et son site solitaire, répondait parfaitement à sa recherche. M. de Pluvinal lui fit confiance et cela avec raison, car bien qu'il ne put même pas payer les droits d'enregistrement de la propriété, trois années plus tard tout était réglé.

Le 25 Avril 1854, le Père Barnouin arrive à Sénanque avec une partie de la communauté et se met aussitôt au travail; il trouva les bâtiments en mauvais état : il pleuvait dans le dortoir, à l'église et sous le cloître encombré de bois. Il fallut remettre les lauzes sur les toits, reprendre les murs, parfois même jusqu'aux fondements.

Les premiers temps furent très difficiles : beaucoup de postulants mais les conditions de vie plutôt précaires en firent fuir plus d'un!

Découvrant à Sénanque ce qu'était la tradition cistercienne, c'est sur les conseils de l'Abbé d'Aiguebelle que le Père Barnouin décida d'affilier sa communauté à l'Ordre de Citeaux.

Voyant toujours les vocations affluer au monastère il décida la construction de nouveaux bâtiments au sud de la partie datant du XVIIe et une aile tournée vers le Nord, perpendiculaire au dortoir.

Il fallu envisager alors de fonder une autre communauté, la place à Sénanque étant forcément limitée. Le 5 Septembre 1858 il envoya le Père Jean reprendre l'Abbaye de Fontfroide, au diocèse de Carcassonne.

Différentes fondations suivirent avec divers résultats : Sénanque essaima à Hautecombe, la Garde-Dieu, Ségriès.

En 1865 une fondation de moniales cisterciennes démarre sous la direction de Dom Marie Bernard Barnouin à Salagon puis sera transférée très vite à Reillanne.

En 1869, nouvel essaimage, cette fois-ci vers l'antique Abbaye de Lérins.

En 1872, Dom Barnouin, dont la famille religieuse est devenue la Congrégation de l'Immaculée Conception de Sénanque, fixe sa résidence d'Abbé Président de la Congrégation à l'Abbaye de Lérins.

Dom Barnouin devenant Abbé de Lérins, la communauté de Sénanque procéda à l'élection d'un successeur au fondateur : ce fut Dom Gérard, élu abbé le 28 Avril 1873.

En 1881, les lois de la troisième République amenèrent une première expulsion des moines de Sénanque : une majorité d'entre eux se retira à l'Abbaye de Fontfroide, quelques uns à Lérins; trois moines restèrent à Sénanque pour garder le monastère. En 1889, discrètement, les moines reviennent tous à Sénanque avec leur Abbé, Dom Gérard.

Son successeur Dom Polycarpe dirigera la communauté durant 2 années. Dom Léonce lui succèdera après sa mort : il est élu le 1er Juin 1898. Malheureusement, en 1904 les moines sont de nouveau expulsés et se réfugient à Hautecombe, alors propriété de la Maison de Savoie. Le Père Abbé garda cependant contact avec Sénanque, y revenant même parfois afin de veiller sur l'Abbaye en attendant de pouvoir en reprendre possession.

Le liquidateur des Congrégations religieuses met en vente l'Abbaye de Sénanque le 29 Mai 1905, mais devant les frais éventuels d'aménagement, et les difficultés d'accès tout le monde recule et le monastère resta occupé par un fermier jusqu'en 1926.

Dom Léonce avait été élu Abbé de Lérins en 1919; il envoie donc en 1926 le Père Augustin avec quelques frères pour reprendre la vie monastique à Sénanque. A peine les moines sont-ils installés qu'une énorme tornade s'abat sur la vallée et provoque une telle inondation que l'eau monte à 1,60 mètre dans le cloître! Une inscription en garde le souvenir sur le mur sud du cloître.

Finalement, à partir de 1928 une communauté stable vit à Sénanque. Le Père Augustin qui part en 1932 pour une fondation au Québec sera remplacé par le Père Maurice qui sera Prieur de Sénanque jusqu'en 1969.

A ce moment, devant les difficultés rencontrées par la communauté, les moines n'étaient plus que cinq, le Père Abbé de Lérins, Dom Marie Bernard de Terris, décida de ramener ces moines à Lérins. Avec Monsieur Paul Berliet, il trouva une formule heureuse pour l'avenir de Sénanque, formule ayant le mérite à la fois de sauvegarder les bâtiments par de judicieuses restaurations et d'y établir un Centre Culturel de Rencontre. L'Association des Amis de Sénanque fut donc créée, qui mena à bien et rapidement la restauration de l'ensemble du monastère, ainsi que l'animation d'activités culturelles compatibles avec l'esprit qui l'imprègne. Emmanuel Muheim en assuma sur place avec brio la direction avec la collaboration de nombreuses personnes de renom. Pendant toute cette période, une présence religieuse priante continua dans l'ermitage de la Bergerie.

Entre temps, la communauté monastique de Lérins connaissait un renouveau de vocations de telle sorte que dès 1980 fut envisagée une reprise de Sénanque. Finalement cela se fit en 1988, où 6 moines de Lérins s'installèrent de nouveau dans l'Abbaye. Les deux premières années, quelques religieux de la Congrégation Saint Jean partagèrent leur vie afin d'aider le petit groupe à redémarrer la vie conventuelle à l'Abbaye.

Depuis Octobre 1988, la vie monastique de prière, de travail et de vie fraternelle a donc repris à Sénanque, renouant ainsi avec les siècles de tradition cistercienne.

---oOo---

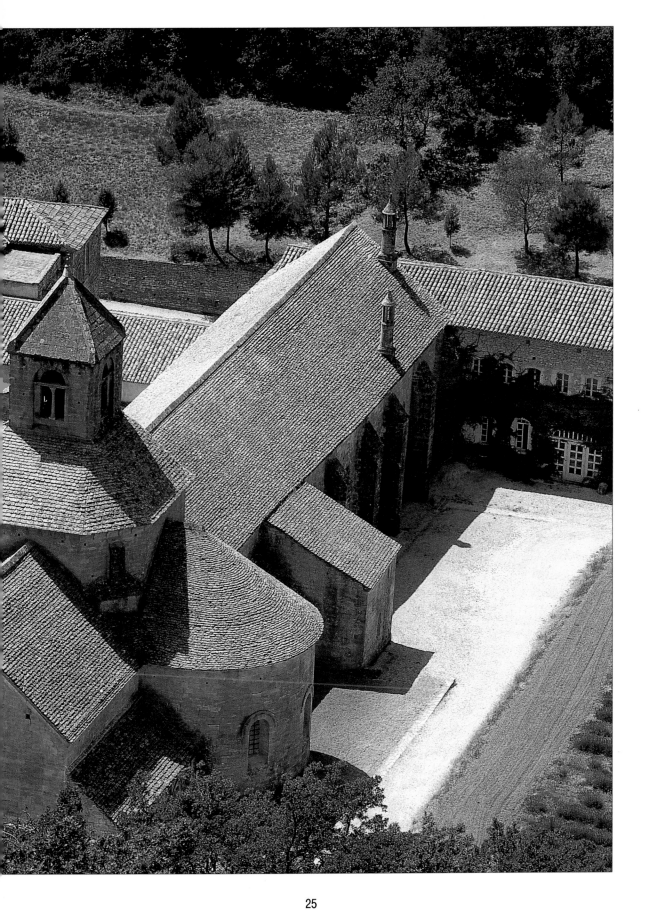

VISITE DU MONASTERE

I- APPROCHE DE L'ESPRIT ROMAN

Double page précédente :
L'abbaye, bâtiments du XIIe, XVIIe et XIXe siècles

Avant d'effectuer une visite de l'Abbaye, étant donnée l'atmosphère spirituelle de notre temps, il convient de rappeler quelques caractéristiques de l'époque qui a vu surgir cet édifice.

Sénanque est fondée au milieu du XIIe siècle, au temps de la féodalité régnante, en plein cœur du Moyen-Age, après la domination des grands empereurs germaniques et avant la période de transition où se produirent de grands changements socio-économiques et culturels, moment critique où le monastère, en France et dans d'autres pays va étendre son influence souveraine.

C'est par excellence l'époque dite de la chrétienté, le temps où la culture des différentes régions européennes se trouve unifiée dans son expression, par la foi commune, foi transmise par l'autorité de l'Eglise à tous les niveaux de la société. Epoque où la civilisation baigne presque naturellement dans tout le mystère du Christ, période où toutes les activités des hommes sont orientées et trouvent leur place dans «l'ordonnance supérieure», reconnue aussi personnellement comme salvatrice.

L'homme roman est profondément croyant; il sait que la dépendance envers Dieu l'élève, de même que, a contrario, il expérimente la captivité et l'aliénation quand il s'attache aux pesanteurs terrestres.

Le Moyen-Age apparaît bien comme une période privilégiée où s'effectue sans difficulté l'interdépendance entre le sacré et le profane, la religion et la vie, l'éthique et la mystique. Pour le croyant, les représentations symboliques qui l'entourent ne sont

Page de droite :
Plan général de l'abbaye

pas des idoles puisque le plus important qui s'y trouve signifié est une réalité spirituelle à laquelle il participe. L'image figurée renvoie à l'icône vivante qu'il porte en son cœur. On l'a dit très justement : l'art roman n'est pas un art naturaliste, de type descriptif, mais un art spirituel allusif. Le symbole n'est pas objectivité selon une référence à l'idée, impersonnel, mais à la réalité de l'unique Mystère à la fois transcendant et immanent qui participe aussi bien à l'éternité qu'à l'histoire. En dépit de la pluralité d'expression, le symbole roman n'admet qu'une seule polarité, celle du Monde nouveau entrouvert par le Christ vainqueur du mal, du péché et de la mort. Ceci est capital pour saisir l'insaisissable Mystère : il n'y a pas seulement à découvrir la correspondance naturelle entre le ciel et la terre, mais encore à accueillir la communication et l'échange divin qui s'opère entre les deux mondes par la médiation du Christ qui transfigure alors le plus simple des fidèles. Au croyant, il n'est demandé que d'avoir la pureté et l'humilité de la Vierge pour laisser se réfléchir en lui ce qui se présente à lui, de recevoir le message en silence, et de remercier Celui qui l'illumine de sa Présence. «Le Christ commence par nous faire respirer la lumière de son inspiration afin qu'à notre tour nous soyons en lui une baie qui respire» (St-Bernard Ct. 73).

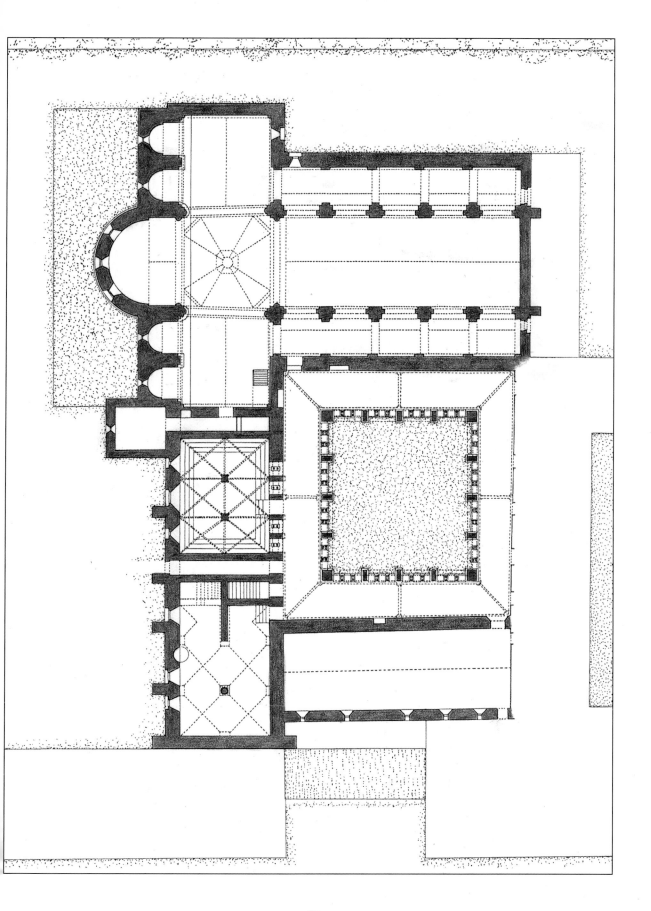

1) L'ARCHITECTURE CISTERCIENNE

Elle se caractérise par rapport à l'architecture des abbayes bénédictines de cette époque par une plus grande austérité et par une réduction sensible des grands volumes, notamment en ce qui concerne la hauteur, les clochers et surtout les flèches qui étaient proscrites jusqu'au XIIIᵉ siècle.

La Charte de Charité, au début de l'expansion de l'Ordre des Citeaux, en 1116, valorise on le sait la vie en clôture (séparation du monde), la pauvreté et la charité. Il est donc normal qu'une application plus stricte de la Règle de Saint-Benoît et l'économie de moyens aient rejailli sur le mode de construction des monastères.

Il convient de signaler l'emploi systématique de la voûte et de l'arc brisés inaugurés à Cluny à la fin du XIᵉ siècle : la multiplication des fondations de monastères cisterciens en Europe au XIIᵉ siècle contribua à vulgariser cette technique nouvelle de maîtrise des poussées.

Faut-il rappeler le rigoureux dépouillement qui devait régner à l'intérieur comme à l'extérieur des monastères, aucune décoration n'étant admise : ni fresque, ni sculpture, ni vitraux colorés avec représentation; seuls les ornements liés à la structure architectonique sont tolérés et par ce fait se trouvent paradoxalement soulignés en leurs lieux : arcs doubleaux, bandeaux, culots, imposte, embrasures, piliers, colonnes.

Au Moyen Age, la lumière, comme le sens de l'ordre jouaient un rôle prépondérant dans l'agencement comme dans la construction des édifices religieux. Les Cisterciens paraissent l'avoir mis en valeur plus encore par la sobriété du décor, la lumière se présentait comme l'un des attributs de Dieu, à l'égal de la vérité et de la vie. «La nuit va être engloutie dans la victoire de l'aurore, l'ombre et les ténèbres vont disparaître, et la splendeur de la vraie Lumière va envahir tout l'espace : en haut, en bas, au dedans, car nous sommes déjà comblés au matin de sa miséricorde.» (St-Bernard, Nativité 3).

A Sénanque, la rigueur austère semble tempérée au moins dans deux endroits principaux : dans le cloître, où les 48 petites arcades retombent sur les corbeilles des chapiteaux très variés, puis à la croisée du transept dans l'église, où la curiosité de l'observateur est attirée vers le haut de la coupole octogonale, sur laquelle repose le cube et la pyramide du clocher.

Le plan d'ensemble de l'abbaye est semblable à celui de ses «sœurs» cisterciennes qui reprennent la vieille structure bénédictine à quelques détails près.

A Sénanque, à cause de l'étroitesse du vallon il y a une réduction du scriptorium intégré d'ailleurs au chauffoir, une saillie insolite de la sacristie, et surtout une orientation de l'église détournée vers le Nord.

Le carré s'affirme en plusieurs endroits notamment dans le cloître comme centre directeur de l'ensemble. Figure géométrique type, on le retrouvera avec le «rectangle d'or», à la manière d'un parti régulateur pour organiser les différents volumes. (*)

* Le «NOMBRE D'OR» est connu depuis l'antiquité. Sa valeur exacte est $\varphi = (1 + \sqrt{5})/2 = 1,61803 ...$

Nombre irrationnel, issu géométriquement de diverses façons : en particulier à partir de la division en moyenne et extrême raison de l'hypoténuse du triangle rectangle dont la mesure est la diagonale du carré «long», double carré.

Sa particularité est de déterminer des proportions harmoniques, dynamiques et progressives dans les secteurs où il se trouve appliqué, notamment en architecture.

Page de droite :
Chapiteaux, colonette du cloître

Piliers du cloître :
On peut remarquer les étapes différentes dans la sculpture des motifs

2) Y-A-T-IL VRAIMENT UN ART CISTERCIEN?

Chapiteaux de l'abside

Les cisterciens, spécialement Saint Bernard n'ont jamais revendiqué une recherche d'esthétique comme on l'entend aujourd'hui. Pour eux, il s'agissait avant tout d'être conséquent avec leur propos de vie monastique.

En fait, ils appliquèrent dans leurs constructions certains principes découlant de la fin qu'ils poursuivaient dans leurs monastères : combat spirituel et union à Dieu.

Faut-il d'ailleurs le rappeler : à cette époque, la notion d'art n'était pas la même qu'aujourd'hui: elle n'était pas réservée exclusivement au domaine du beau, mais englobait l'agir pratique en général; c'est pourquoi, jusqu'à la renaissance on parlait d'ouvrier ou d'artisan plutôt que d'artiste.

Cette conception morale et unitive de l'art la rendait de ce fait immédiatement soumise au domaine spirituel.

Si donc le Chapitre Général de Citeaux et Saint Bernard ont formulé divers avis concernant l'usage ou le non usage de l'ornementation, c'est parce qu'ils s'exprimaient en ascètes, en guides spirituels; ils reprenaient l'ancienne tradition monastique remontant à Saint Jérôme (Ve siècle) : pour que le moine séparé de la société puisse pénétrer dans le Mystère de l'Alliance Divine, il lui faut renoncer aux attraits et au souvenir du monde sensible.

Saint Bernard, dans sa célèbre Apologie admet cependant pour les laïcs l'utilité des représentations plastiques, parce qu'au milieu de tout décor, l'emploi de formes simples, n'est donc que la traduction dans la matière d'une option première spirituelle qui détermine un milieu propice au recueillement, à la sublimation et à la prière.

Ce parti pris de façon radicale conditionne l'architecture de tous les bâtiments du monastère et en souligne le caractère fonctionnel. C'est ainsi que l'ordonnance des formes reflète l'ordonnance de l'esprit; et celle-ci elle-même révèle une ordonnance sacrée supérieure qui vient de Dieu.

On ne peut donc pas à vraiment parler d'un art cistercien, mais plutôt de l'esprit cistercien dans l'architecture.

---oOo---

II- EN PARCOURANT L'ABBAYE

Le Dortoir

1) LE DORTOIR

Cette grande salle longue, de près de 30 mètres, recouvre les salles conventuelles du rez-de-chaussée, Chapitre et Chauffoir. Dès l'entrée, on est frappé par l'ampleur du vaisseau qui la couvre au moyen d'un vaste berceau brisé qui prolonge le transept Ouest de l'église. Cette voûte fut édifiée à la suite du chœur de l'église vers 1170. Deux grands arcs doubleaux de section rectangulaire retombent sur de gros culots qui divisent la voûte en trois travées inégales. Sous les deux bandeaux s'ouvrent six fenêtres aux embrasures profondes. Les murs ont en effet plus de 1,30 mètre de largeur.

Les moines dormaient dans des box dont on voit encore les traces sur le dallage de la salle.

A l'extrémité Est de la salle se trouve une porte donnant sur un escalier aujourd'hui démoli, qui conduisait directement à l'église; cela s'expliquait par le fait que la première et la dernière activité des moines chaque jour était le chant de la liturgie des matines et des complies.

Près de l'angle sud-est, une porte ouvre sur la terrasse; elle donnait sur la cellule de l'Abbé dont il ne reste plus de trace.

2) L'EGLISE ABBATIALE.

La Bible nous le dit à plusieurs reprises : «Le Temple est la Maison de Dieu sur la terre». Pourtant cette affirmation ne doit pas être prise dans un sens trop étroit, puisque, comme le disait le prophète Nathan à David :

«Dieu ne peut habiter dans des constructions faites de main d'homme».

Ainsi le Temple le plus réussi ne pourra jamais trouver en soi sa raison d'être mais en référence à la Réalité archétypique qui est selon le psalmiste «la tente sacrée que Dieu a préparée dès l'origine». Pour les chrétiens, après l'Incarnation du Verbe de Dieu et depuis sa Résurrection d'entre les morts, cette Tente sacrée ne peut être que le corps Mystique du Christ invisible, mais constitué visiblement sur la terre : les baptisés.

Aussi, en admirant l'appareillage parfait de milliers et de milliers de pierres enchâssées presque sans mortier, on entend mieux le message de Saint Pierre aux baptisés : «Vous-mêmes, comme des pierres vivantes, laissez-vous édifier en un Temple spirituel, pour un sacerdoce saint, en vue d'offrir des sacrifices spirituels». Or ces sacrifices ne trouvent leur pleine valeur qu'en étant insérés dans la représentation sacramentelle du mémorial de la Pâque institué par le Christ, juste avant de s'offrir par amour sur la Croix, pour la gloire de Dieu et le salut du monde.

L'église étant l'espace où s'opère le sacrifice eucharistique, elle s'édifie suivant un plan cruciforme. Ici à Sénanque, le plan est assez trapu et en cela il ressemble à celui de ses sœurs contemporaines de la région, encore existantes, Léoncel et Aiguebelle, Le Thoronet et Sylvacane.

Dans la même symbolique scripturaire, c'est en se référant au grand mystère du Christ Prêtre, Médiateur et Rédempteur, qu'étaient élevées les églises du Moyen-Age. C'est pourquoi elles cherchaient à le signifier dans leur structure. Ainsi était toujours rendue manifeste la distinction entre le sacré et le profane, cela, non en vue d'opposer et de diviser, mais au contraire pour mieux faire apparaître la participation à l'admirable échange : la réalisation toute nouvelle d'une Alliance conclue dans le Christ entre Dieu et les hommes.

A Sénanque, cette distinction significative est particulièrement soulignée avec le portique majestueux et les trois marches de l'entrée du transept qui relient ou séparent les deux grands espaces religieux : l'un qui rassemble les moines qui prient au nom et avec le peuple de Dieu, l'autre où évoluent les prêtres et les clercs, lorsque se déroulent les cérémonies liturgiques autour de la présence eucharistique. Cette distinction des deux grands espaces est accentuée ici du fait qu'elle correspond à deux campagnes de construction de l'édifice :

A) Le premier grand espace, celui du chœur, date des premiers temps de la fondation, vers 1150-1160. Il se compose des cinq absides semi-circulaires, du large transept et de la coupole axiale.

La grande abside : outre la beauté de la demi-coupole légèrement en ogive, elle est caractérisée par son double retrait qui évoque le Saint des Saints de l'ancien temple de Jérusalem, où Dieu se rendait présent derrière le voile. C'est là, maintenant sur l'autel, que le Christ, est rendu présent sacramentellement comme l'Agneau de Dieu, sous les espèces du pain et du vin consacrés par les prêtres. Le sanctuaire se présente bien comme le lieu d'irruption de la grâce de Dieu sur la terre, le foyer de

Coupe longitudinale de l'église

sacralisation vers lequel toutes les masses et les vides de l'édifice convergent ; on notera en particulier l'exacte concentration des faisceaux de lumière provenant des trois baies centrales qui semblent figurer l'acte consécratoire des Trois Personnes de la Trinité Sainte sur les oblats placés sur l'autel central lors de la célébration de l'Eucharistie.

Les quatre petites chapelles réparties de part et d'autre du chœur sont plus discrètes, conformément à l'usage : elles étaient utilisées pour les célébrations de messes par un seul moine-prêtre. Elles sont voûtées plein cintre et se ferment en avant sur cul de four après un retrait. Elles sont faiblement éclairées par une petite baie étroite, typique de la période romane la plus ancienne ;

les autels sont plus tardifs. Dans chaque chapelle on trouve une «piscine» pour les ablutions de la messe.

Le transept joue le rôle unificateur pour le chœur, puisque sur lui s'ouvrent les cinq absides ; c'est pourquoi on l'appelle aussi presbytère ; ce rôle ne l'empêche pas de conserver sa fonction propre qui est de créer une distanciation, et donc de passage, entre l'espace le plus sacré du sanctuaire et celui moins sacré de la nef, ou plus profane des bas-côtés : ne doit-on pas se préparer et se purifier avant d'approcher du Dieu trois fois Saint?

Le mur Est est percé de deux petites fenêtres et d'un grand occulus orné d'une roue.

Travées de la nef

Au croisement du transept, la coupole axiale, quoique d'une grande sobriété, trône magnifiquement. Elle vient envelopper le grand espace cubique que forme le croisement des deux bras de la croix et semble ainsi tout aspirer par le haut. Ceci est d'autant plus prégnant que la coupole en son centre s'ouvre à la lumière et de ce fait exprime que nous sommes bien là au lieu privilégié de communication entr'ouvert par le Christ entre le ciel et la terre. Un moine byzantin du VIIe siècle évoque déjà cette symbolique : «C'est une chose réellement admirable que dans sa petitesse le temple soit semblable au vaste monde, non par ses dimensions mais par sa structure. Sa coupole élevée, voilà qui est comparable aux cieux des cieux et pareil

à un casque. Sa partie supérieure repose solidement sur sa partie inférieure, ses grands arcs représentent les quatre côtés du monde».

Au Moyen-Age, nous avions perdu la technique savante de l'englobement de la coupole surbaissée qui vient mourir en pointe à la jonction des arcs, comme nous en avons encore un exemple à la chapelle de la Trinité, à Lérins (VIe siècle). En occident, on avait recours alors aux pendentifs, ou plus modestement à des trompes, d'où s'élançaient des coupoles octogonales comme c'est précisément le cas à Sénanque.

Il convient de noter la richesse symbolique de l'octogone qui sert également de plan pour les baptistères pré-romans et qui renvoie au Mystère Pascal : le baptême se

Chapiteaux de l'abside

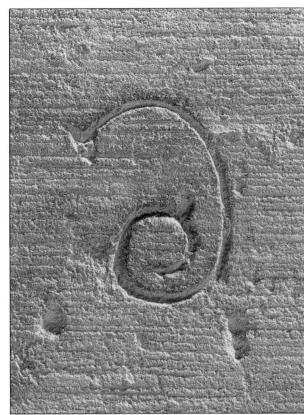

Marques de tâcheron

faisait en occident autrefois surtout par le rite de l'immersion pour signifier l'engagement chrétien à mourir aux choses du monde et à renaître au monde nouveau de la vie du ciel, et cela dans le Mystère de la Mort et de la Résurrection du Christ à la fois dans sa fonction de médiateur (homme+Dieu= 5+3) et dans celle de Rédempteur, Restaurateur de la Création (2x4); on comprend dès lors que ce nombre (8) soit figuré à la jonction du ciel et de la terre, et renvoie ainsi au 8e jour de la Résurrection : jour éternel commémoré chaque dimanche.

Cette coupole à huit pans inégaux au croisement du transept est un emprunt direct à l'Abbaye Mère de Sénanque : Mazan qui l'avait elle-même empruntée aux églises romanes du Vivarais. C'est d'elle aussi qu'elle tient l'ornementation des quatre trompes qui la soutiennent : les quatre arceaux à 6 lobes représentent les «quatre vivants aux yeux innombrables et aux six ailes qui jour et nuit clament devant le Trône : Saint, Saint, Saint, le Seigneur, le Dieu tout Puissant, celui est, qui était et qui vient, le Maître de tout ! ». Ces quatre séraphins de la première

Trompe de la croisée du transept,
soutenant la coupole

vision de l'Apocalypse ont été assimilés par la Tradition aux quatre Evangélistes qui annoncent la venue du Règne nouveau de Dieu sur l'univers. Les quatre piliers cannelés qui apparaissent sous les trompes, avec à leurs extrémités des consoles, semblent selon cette même vision découvrir les quatre pieds du Trône céleste, «où siège dans un halo de lumière aux reflets d'émeraude, l'Innommable qui vit pour les siècles des siècles». Comme nous pouvons nous en rendre compte le croisement du transept est l'espace-clef qui symbolise tout le Mystère chrétien ; cela est souligné par les 8 colonnes engagées

qui soutiennent élégamment les quatre grands arcs. C'est en cet endroit privilégié que se conjuguent les deux grands mystères du Christ dans l'espace et le temps, l'un vertical, celui de son Incarnation-Ascension, l'autre horizontale, celui de la Rédemption-Réconciliation, auxquels le moine est plus spécialement appelé à participer dans son monastère.

B) Le deuxième grand espace : celui de la nef et des bas-côtés en contre-bas du chœur a été édifié avec le plus gros de la construction des autres bâtiments du monastère après 1180

40

Absidiole

On y respire un autre air que celui du premier espace, on sent que ce n'est pas le même maître-d'œuvre qui a présidé à son élaboration, ni la même main-d'œuvre qui y a laissé ses nombreuses marques de tâcherons. Nous sommes déjà au temps où la verticale s'impose, et où la lumière chantante est préférée à l'ombre silencieuse. Nous n'avons donc pas à nous étonner de la surélévation de la voûte du berceau de la nef sans arcs doubleaux ni de sa courbe plus aiguë. On peut voir nettement ce changement à l'amorce de la corniche qui de chaque côté,

au-dessus des deux colonnes suspendues du portique, se trouve 4 mètres plus haut, à la naissance du grand vaisseau.

Dans cette partie, règne un dépouillement extrême ; rien n'arrête le regard, excepté la rosace de la façade, qui avec ses douze lobes évoque l'achèvement de l'amour. Les deux hautes baies qui sont sous la rosace étant elles-mêmes au-dessus d'un grand mur aveugle, sans trace de portail.

C'est dans cet immense volume que les moines répartis en deux chœurs chantaient l'office. L'acoustique y est particulièrement sonore et délicate.

Aujourd'hui encore, les moines tiennent à chanter a capella, sans accompagnement d'instruments, des mélodies adaptées à la langue française. Cela oblige à développer les facultés d'écoute, ce qui est d'ailleurs une des dispositions fondamentales pour la prière.

Depuis leur retour en 1988, ils sont heureux de pouvoir célébrer la liturgie romaine avec l'apport de la Tradition orientale. Ainsi une louange pleinement catholique peut s'élever dans ce sanctuaire qui unit si bien la symbolique cosmique à la symbolique du mystère chrétien en sa totalité.

L'accès à la nef se fait soit par l'escalier du dortoir dans le transept, face à la grande roue de lumière, soit par la porte du cloître, en montant deux degrés. Dans les deux cas, le moine trouvait à l'entrée du sanctuaire un bénitier pour se signer.

Les deux autres portes situées au fond des bas-côtés étaient réservées autrefois à l'ouest pour l'entrée des frères convers, et à l'est pour les pèlerins et les hôtes.

Depuis le Concile Vatican II il est permis aux fidèles de participer aux offices des moines en prenant place dans la partie arrière de la nef.

Page de droite : Nef de l'église abbatiale

Le Cloître

3) LE CLOITRE

Au XIIe siècle, le cloître est le cœur du monastère. On y garde le silence comme dans les autres lieux dits «réguliers», l'église, le réfectoire, la salle du chapitre. C'était un lieu de prière, de méditation, de lecture et même de travail. Près de la porte de l'église, enfoncée dans le mur se trouvaient deux armoires en bois où l'on rangeait la Bible et quelques livres spirituels.

De nos jours, en dehors des heures de visite de l'Abbaye, le cloître est toujours un lieu de prière et de paix où les moines aiment se recueillir.

La fonction du cloître est donc de relier des lieux très divers pour en assurer une communication concentrique : la diversité des occupations y trouve son repos dans une unité transcendante. Le cloître cherche à déployer à ciel ouvert au milieu de la nature, et dans la réalité prosaïque du quotidien ce que tente d'exprimer avec tant de densité toute la symbolique religieuse qui se dégage de l'espace privilégié du croisement du transept à l'intérieur de l'église.

Le cloître n'est donc plus seulement selon son origine romaine l'atrium, la cour intérieure étroitement liée aux contingences domestiques ; il est aussi d'après la Genèse le «Paradis retrouvé»; d'après le Cantique des Cantiques, «le jardin clos de l'Epoux»; d'après l'Apocalypse, «la Jérusalem céleste». On trouvera trace de ces images et surtout de la dernière dans l'agencement et la structure du cloître.

Cloître, galerie nord

Chapiteau qui soutenait la voûte de la fontaine (angle sud-ouest du cloître)

Ainsi, si l'on considère sur le plan le carré du cloître, «blotti sous le côté droit de la Croix» qu'est l'église, il représente cette terre sanctifiée par la Grâce du Saint-Esprit qui nous vient du Christ crucifié (cf. Jn. 19, épisode solennel de la transfixion). C'est en effet une vie transfigurée que cherche à mener le moine qui tend à l'union continuelle à Dieu. Saint-Jean, Saint-Paul, à la suite des Prophètes d'Israël, comparent l'Eglise à une fiancée se préparant à la rencontre avec son fiancé. On ne s'étonnera donc pas du climat enchanteur et serein des lieux. Les quatre grands arcs surbaissés qui reposent sur trois grosses piles à l'extérieur des galeries figurent le monde divin qui s'abaisse sur la terre. Chacun d'eux vient envelopper trois petites arcades aux dimensions éminemment humaines.

Ainsi le moine qui renonce au monde pour suivre le Christ par l'observance des vœux monastiques doit témoigner par toute son existence de cette possibilité qu'a tout chrétien, là où il vit, de grandir dans la vie divine reçue au baptême comme une semence.

En considérant maintenant le chiffre 12 qui se retrouve quatre fois sur les quatre côtés, selon une alternance ternaire, la mesure parfaite de la Cité céleste future nous apparaît contemporaine. Le moine est déjà un citoyen de la Jérusalem d'En Haut et il anticipe le temps, puisque selon l'Apocalypse, l'homme parfait ne devient l'homme nouveau qu'au sein d'une société sainte, celle qui est annoncée par les douze tribus d'Israël, allégorie constituant l'ensemble des rachetés, la Plénitude du Peuple élu de Dieu. Le moine n'est pas sauvé seul, mais il participe déjà par l'espérance à cet immense rassemblement de la fin des temps.

Le Cloître

Une telle méditation accompagne bien le rythme du jeu d'ombre et de lumière des douze petites colonnes jumelées qui se projette sur le dallage.

Les chapiteaux sont ornés avec sobriété de fleurs ou de feuilles variées; le plus simple est celui de la feuille d'eau qui s'entrouvre, à la deuxième colonne de la galerie du chapitre, près de l'église, motif le plus fréquent dans le cloître cistercien depuis Fontenay (1145).

En dépit de la destruction de la Fontaine du cloître en son angle sud-ouest et de la construction du logis abbatial au XVIIe siècle suite au sac de l'Abbaye par les Vaudois en 1544, la pureté de l'harmonie du cloître reste intacte. Elle se rend manifeste par-delà tous les calculs qui ont présidé à son élaboration, cette conjugaison rare du rapport parfait qui peut se réaliser entre le ciel et la terre, à travers le Mystère de l'Incarnation rédemptrice du Verbe désormais vivant en gloire.

4) LA SALLE DU CHAPITRE.

Celle-ci tient son nom de ce que chaque jour la communauté s'y réunissait le matin, après l'office de Prime, autour du Père Abbé, pour y entendre la lecture d'un passage, d'un «Chapitre» de la Règle de Saint Benoît. On lisait ensuite le martyrologe ou annonce des Saints fêtés en ce jour par l'Eglise, puis le nécrologe, c'est-à-dire la liste des moines cisterciens dont on fêtait dans l'Ordre l'anniversaire de décès et enfin la vie des moines dont la sainteté avait été reconnue dans les monastères. Ensuite avait lieu le Chapitre des «Coulpes» où les moines qui le désiraient pouvaient librement demander pardon à la communauté de tel ou tel manquement à l'observance de la Règle de Saint Benoît ou bien à la charité fraternelle. En certaines circonstances, et sous contrôle de l'Abbé, les moines pouvaient avec délicatesse et charité se faire des remarques concernant leur vie monastique. C'est aussi dans cette salle que se déroulaient les réunions de la communauté pour des décisions importantes comme ce qui concerne l'admission d'un novice ou la gestion des biens du monastère. L'Abbé n'agit pas en monarque absolu dans son monastère, mais il s'appuie sur le conseil de ses frères. Une communauté monastique est de type «théocratique», c'est-à-dire que c'est vraiment Dieu qui la gouverne.

C'est dans cette salle que les postulants à la vie monastique recevaient l'habit du monastère et que les Abbés étaient élus et intronisés dans leur charge. C'est aussi au Chapitre que reposait la dépouille mortelle

La seule «sculpture» de l'abbaye. Un démon (tarasque) A la sortie du chapitre. XIIIe siècle ?

Page de droite : Le cloître vu du chapitre

48

L'entrée de la salle du Chapitre

du moine, veillé par ses frères, en attendant d'être enseveli sans cercueil, dans le cimetière, au chevet de l'église.

Même si aujourd'hui la salle n'est plus utilisée par la communauté pour tout cela, les observances diverses qui y étaient pratiquées au XIIᵉ siècle le sont toujours dans un lieu plus adapté à notre époque.

Du cloître, au milieu de la galerie nord, par une porte étroite, le moine descendait trois marches pour pénétrer dans le Chapitre, avant de s'asseoir à son rang d'ancienneté sur les degrés qui courent autour des quatre murs.

Ce qui caractérise cette salle, la plus intime du monastère, c'est la finesse de son acoustique : la parole s'y fait entendre, très claire, sans effort. Ceci est dû d'une part à son peu d'élévation, d'autre part au développement des 6 croisées d'ogives, très en relief, à grosses nervures, qui délimitent la conjonction des 6 cubes qui composent le volume de cette pièce. Les 6 voûtes gothiques surbaissées reposent élégamment au centre sur deux petites piles cantonnées de quatre colonnettes. Restaurés il y a 2 siècles, leurs petits chapiteaux sont ornés plus ou moins d'un feuillage stylisé, selon qu'ils symbolisent à l'Est l'arbre de la connaissance, à l'Ouest l'arbre de vie.

Salle du Chapitre (intérieur)

«La rudesse des observances régulières et le moule de la discipline donnent souvent de larges ruisseaux d'huile, et la rigueur de l'ordre semblable à la pierre fait sentir à l'âme la douceur de la prière». (Gilbert de Hoyland, Cistercien du XIIIᵉ siècle).

Entre la salle du Chapitre et le Chauffoir, aussi appelé «salle des moines», se trouve un couloir voûté très étroit qui était le passage reliant le jardin au cloître du monastère, pour les frères convers. Il servait également de parloir pour la répartition du travail après Prime. Durant la journée, autrefois comme aujourd'hui, les moines vivent en silence, ne parlant que pour les nécessités indispensables à la bonne marche de ce qu'ils accomplissent.

5) LE CHAUFFOIR OU LA SALLE DES MOINES.

Autrefois, c'était dans cette salle que les moines venaient travailler, écrire aussi, c'est pourquoi les trois fenêtres romanes ont de larges embrasures pour laisser pénétrer la lumière. Par temps humide et froid, c'était l'unique pièce chauffée du monastère en dehors des cuisines. Elle servait aussi de «scriptorium», lieu où l'on copiait les manuscrits.

D'après un plan du XVIIIe siècle un mur divisait le volume en deux salles distinctes. Il y avait en effet 2 cheminées comme le

Le Chauffoir   Les cheminées du Chauffoir

52

prouvent les 2 lanterneaux encore visibles sur le toit du dortoir. La grande cheminée est semblable à celle qu'on construisait au Moyen-Age dans les châteaux forts; sa hotte semi-circulaire très haute se poursuivait au premier étage dans le dortoir ce qui permettait de chauffer cette salle et de tempérer le dortoir.

On remarque au centre de cette salle basse voûtée la retombée magistrale des quatre voûtes d'arêtes sur une unique colonne massive, mise en valeur par son large chapiteau (restauré au XIXe siècle) et son piédestal cubique orné de quatre tortues et évoquant l'axe du monde. Il se dégage de l'ensemble une impression de vérité et de puissance.

Sous la voûte, près de l'escalier d'entrée, il y avait le cachot (ce qui existait dans tout monastère) et la porte du fond de la pièce donnait sur les latrines au-dessus de la rivière.

Les cuisines devaient aussi se trouver dans ce secteur, l'ancien réfectoire étant à proximité.

Chapelle actuelle (ancien réfectoire du XIIe)

6) LE REFECTOIRE.

Il occupe le côté occidental du cloître. Par une disposition rare chez les cisterciens il lui est ici parallèle, à cause du ruisseau qui le côtoie. Effondré à la fin du XVIIIe siècle il a été refait au XIXe, et sa voûte a été reconstruite en plâtre en 1970. Il ne reste de l'origine qu'une partie des murs, deux fenêtres et l'encadrement de la porte du XIIIe.

En face de celle-ci, en saillie dans l'angle Sud-Ouest de la cour, se trouvait autrefois le lavabo (démoli lors du sac de l'attaque par les Vaudois), mais dont on voit encore les arrachements dans le mur. C'était en effet la coutume avant d'entrer dans le réfectoire de se laver les mains en signe de purification.

Les moines du Moyen-Age avaient une nourriture simple, faite essentiellement de légumes et de pain, avec éventuellement des oeufs ou du poisson, (proscrits en temps de jeûne).

Aujourd'hui, si la nourriture a évidemment évolué dans les détails, le principe de fond, une nourriture simple, a été gardé.

Comme autrefois, pendant le repas, les moines écoutent en silence une lecture spirituelle.

De nos jours, cette salle sert de chapelle à la communauté monastique. C'est là que les moines célèbrent la plupart des offices en semaine; c'est pourquoi cette salle n'est plus accessible au tourisme.

LA VIE MONASTIQUE AUJOURD'HUI A SÉNANQUE

Les frères qui sont venus de l'Abbaye de Lérins en 1988 n'ont pas d'autres ambition que de se mettre à la suite de leurs Pères qui ont mené dans ce monastère la vie monastique cistercienne durant des siècles.

Bien sûr, nous ne sommes plus au XIIe siècle et le cadre prestigieux de Sénanque ne peut être utilisé comme un simple décor de théâtre ou un musée. Il nous semble au contraire possible et heureux de pouvoir vivre aujourd'hui la vie monastique cistercienne dans un lieu reçu par les moines cisterciens des siècles précédents et aménagé dans ce but.

En cette fin de XXe siècle, le quotidien de la vie d'un moine de Sénanque parait sans doute bien différent de la journée d'un de ses prédécesseurs du Moyen-Age! Mais le fond, l'orientation profonde d'une vie totalement consacrée à Dieu dans la prière, est bien le même.

La connaissance que nous avons aujourd'hui de l'Histoire cistercienne, comme de l'Histoire tout court, nous permet de faire un discernement entre le vrai et le légendaire, comme entre ce qui est de la Tradition Cistercienne et des traditions très contingentes et dépassées. L'Esprit Saint présent dans la communauté a été donné aux frères, comme à tout chrétien, pour les «conduire à la Vérité toute entière», cela à chaque instant, dans les éléments les plus concrets de la vie. Les adaptations nécessaires sont vues, discernées et appliquées par la communauté dans l'obéissance à l'Eglise, par l'intermédiaire des supérieurs.

Carte : la France Cistercienne aujourd'hui

Comme depuis les premiers temps du monachisme, le moine commence sa vie monastique par une période de probation et de formation qui dure environ 5 ans. Après ce temps de «noviciat» de deux ans puis trois années d'engagement temporaire, le frère, s'il est accepté par la communauté, s'engage à vivre dans la vie monastique selon la Règle de Saint Benoît jusqu'à la mort. Il le fait en émettant les voeux d'obéissance au supérieur, de stabilité dans la communauté et de conversion permanente.

Aujourd'hui, cet engagement, la profession monastique, est le même pour tous; il n'y a plus deux «sortes» de moines comme

Page de droite :
L'abbaye (vue de la route de Vénasque)
Double page suivante :
Le Cloître

54

au XIIe siècle, choristes et convers. Chacun vit la même vie de prière liturgique (chantée à l'église), de prière en solitude avec la Parole de Dieu appelée «lectio divina», et de travail manuel et intellectuel.

La liturgie est composée d'offices, prières entièrement chantées par la communauté au long de la journée. Chaque «office» est à une heure symbolique; voici l'horaire des offices à Sénanque en 1992 :

Vigiles à 4 h 30 : Prière de la communauté durant la nuit, alors que la création entière dort.

Laudes à 7 h 30 : au moment du lever du soleil.

Tierce à 9 h 30 : (troisième heure romaine, heure de la Pentecôte).

Sexte à 11 h 45 : (Sixième heure, crucifixion de Jésus).

Messe à Midi.

None à 14 h 15 : (neuvième heure, mort de Jésus).

Vêpres à 18 h 00 : au coucher du soleil.

Complies à 20 h 15 : à la «fin de la lumière».

Les offices liturgiques sont composés de prières chantées (psaumes de la Bible, hymnes anciennes) et de lectures. A Sénanque, toute la liturgie est chantée en français.

Célébration Eucharistique avec
la communauté monastique

Une activité aussi importante que la liturgie, mais beaucoup moins visible est la «Lectio Divina». C'est une lecture priée de la parole de Dieu (Bible). Le moine y consacre un temps important chaque jour; lecture lente de la Parole dans la méditation et la prière qui conduisent au silence du corps, du cœur et des pensées. C'est dans ce silence que la rencontre de Dieu se fait plus totale.

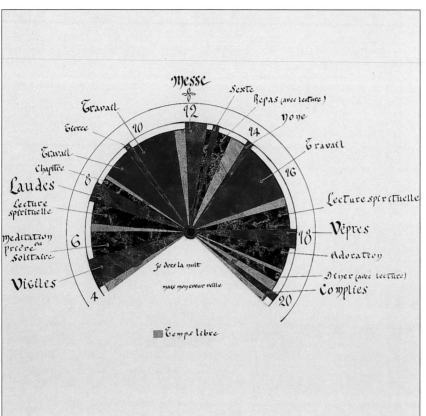

Messe
Sexte
Repas (avec lecture)
Travail
Tierce
Noye
Travail
Travail
Chapitre
16
Laudes
Lecture spirituelle
Lecture spirituelle
Vêpres
Méditation prière ou solitaire
Adoration
Vigiles
Dîner (avec lecture)
Complies
Je dors la nuit mais mon cœur veille

■ Temps libre

culture (lavande, miel, forêt) et l'accueil du tourisme (visites, librairie, restauration des bâtiments). Sans oublier bien sûr tous les travaux ordinaires d'une famille, depuis la cuisine jusqu'à la lessive. En principe, chaque frère doit être polyvalent; s'il ne l'est pas en arrivant, il le devient assez vite...

Le travail intellectuel, après les années de formation, fait aussi partie de la tâche de chacun; non pas pour «produire» quelque chose (livres, conférences...), mais simplement pour continuer à se former toute la vie, car c'est le moine tout entier, avec sa tête comme avec son cœur, qui cherche Dieu. Ces «études» permanentes touchent essentiellement au domaine théologique; chacun les fait suivant ses possibilités intellectuelles, ses attirances, et dans la dépendance envers le supérieur du monastère. Il s'agit de mettre son intelligence au service de Dieu et de la communauté, et ainsi de progresser dans la connaissance même de Dieu.

LE MYSTERE MONASTIQUE

Pour reprendre le titre d'un ouvrage célèbre, il y a un «Mystère monastique».

Pour quoi se fait-on moine, ou plutôt, pourquoi vouloir être moine? Qu'est-ce qui

C'est à cause de ce silence de prière que les moines ont pour habitude de parler le moins possible : cela leur permet de «garder» tout le jour cette atmosphère où Dieu se laisse trouver.

«Ils seront vraiment moines», dit Saint Benoît, «s'ils vivent du travail de leurs mains».

Le temps n'est plus pour un monastère à une autarcie économique, si tant est qu'elle ait vraiment existé un jour! Les monastères sont insérés dans la société de leur temps et en suivent les règles et contraintes légales et économiques. Le christianisme repose sur la foi en l'Incarnation et rejette par là toute tentative de fuite du réel. Mais il est évident que l'économie telle qu'elle est vue dans un monastère n'a pas forcément les mêmes critères d'efficacité qu'une multinationale...

A Sénanque, le travail des frères comporte deux secteurs d'activités : l'agri-

Tour Eucharistique (XIIIe s.)

a bien pu amener ces hommes à quitter une vie parfois (mais pas toujours) confortable, pour entrer dans un chemin qui, vu de l'extérieur semble bien terne et monotone ?

Il n'y a pas deux réponses identiques; l'histoire de chacun est unique et mystérieuse ; mais à chaque fois il y a une réelle rencontre d'un «Autre» qui se révèle être celui qu'on appelle Dieu et qui emporte tout. La vie devient alors une réponse d'amour à une parole d'amour. L'appel reçu au fond du cœur est absolu, il demande de tout quitter pour se mettre en route dans le Mystère à la fois lumineux et ténébreux.

Cela n'est cependant pas l'apanage des moines; cela est offert à tout homme, car Dieu veut que tous les hommes soient sauvés et parviennent à la connaissance de la vérité. On peut déjà «goûter» ce mystère en entrant dans la prière, si courte soit elle, si pauvre soit elle, la prière étant relation vivante et aimante avec Dieu.

Ensuite, c'est une chemin sans fin, toujours plus intérieur pour celui qui le veut, jusqu'au terme du voyage, dans la vision, lorsqu'ayant déposé son corps dans le petit cimetière de l'Abbaye, le moine peut voir et reconnaître Celui qui l'a appelé et qu'il a aimé, et qui le ressuscitera au dernier jour pour une éternité de délices comme chante un psaume, avec tous ceux qui auraient attendu avec amour le retour du Seigneur.

---oOo---

Transept

Potager de la communauté et bâtiments
abbatiaux du XIXe siècle

Page de droite
Chevet de l'église

BIBLIOGRAPHIE

L'Abbaye vue du rucher des moines

Vie de Saint Honorat	(Editions du Cerf)
Règles des Saints Pères	(Editions du Cerf)
Règle de Saint Benoît	(D.D.B)
Vie de Saint Bernard	(Desclée)
L'Esprit de Citeaux	(Zodiaque)
Saint Bernard et l'Ordre Cistercien	(Seuil)
Vie de Dom Barnouin	(Sénanque)
Petite histoire de la vie monastique	(Siloë)
Le Mystère Monastique	(D.D.B.)
L'Art des Bâtisseurs	(Boscodon-Sénanque)
Symboles	(Zodiaque)
Initiation à la Symbolique Romane	(Flammarion)
Signe du Temple	(Desclée)
D'Or et de Miel	(J.F. Frojet)

Ces ouvrages sont disponibles à la librairie de l'Abbaye.

Plans et schémas d'Architecture sont de Monsieur Joachim Leoveras Montserrat.
Photographies Editions GAUD.
EDITIONS GAUD 77950 MOISENAY (1993). Dépôt légal: 1er trimestre 1993.
ISBN 2-84080-011-X édition française.